Cavan, Cavan, Cavan

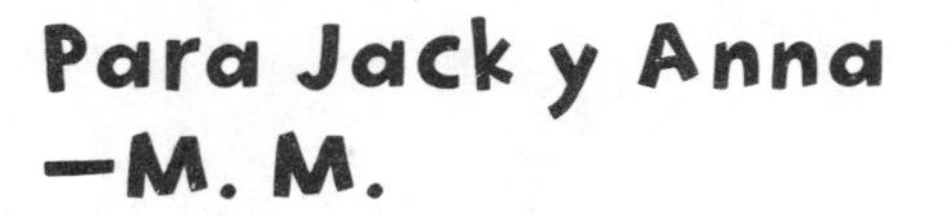

Para Jack y Anna
—M. M.

Para Nigel y Annie
—A. A.

Originally published in English as *Dig Dig Digging*.

 Published by Scholastic Inc., 557 Broadway, New York, NY 10012, by arrangement with Henry Holt and Company, LLC.
Printed in the U.S.A.

ISBN-13: 978-0-545-21623-4
ISBN-10: 0-545-21623-0

1 2 3 4 5 6 7 8 9 10 40 19 18 17 16 15 14 13 12 11 10

Cavan, cavan, cavan

escrito por

Margaret Mayo

ilustrado por

Alex Ayliffe

SCHOLASTIC INC.

New York Toronto London Auckland
Sydney New Delhi Hong Kong

Las excavadoras

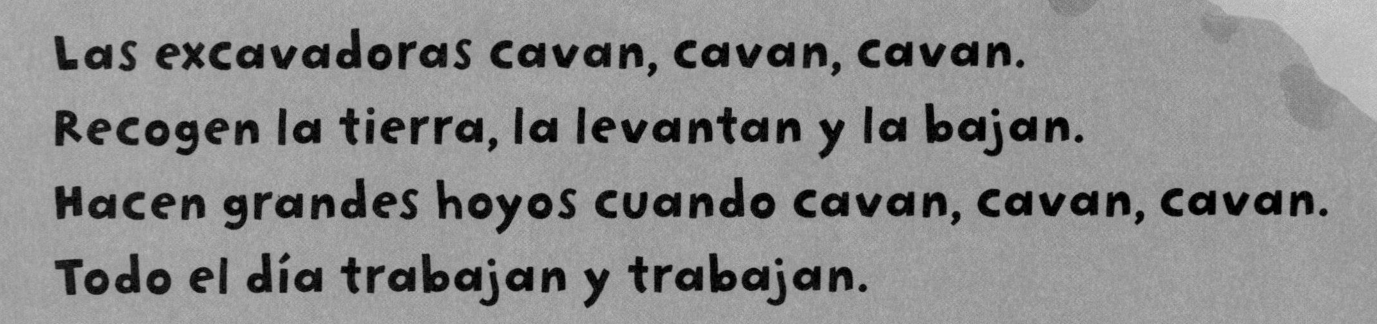

Las excavadoras cavan, cavan, cavan.
Recogen la tierra, la levantan y la bajan.
Hacen grandes hoyos cuando cavan, cavan, cavan.
Todo el día trabajan y trabajan.

Los camiones de bomberos

Los camiones de bomberos aceleran y aceleran.
¡Cuidado! ¡Cuidado! Las luces centellean.
Las mangueras lanzan agua. Lanzan, lanzan, lanzan.
Todo el día trabajan y trabajan.

Los tractores

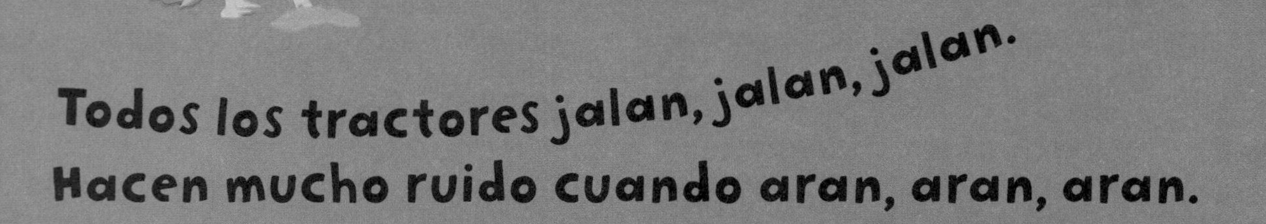

Todos los tractores jalan, jalan, jalan.
Hacen mucho ruido cuando aran, aran, aran.

¡La tierra vuela, vuela y las ruedas giran, giran!
Todo el día trabajan y trabajan.

Los camiones de basura

Los camiones de basura tragan, tragan, tragan.
Las bolsas de desechos comprimen y aplastan.
Siempre están muy ocupados. Tragan, tragan, tragan.
Todo el día trabajan y trabajan.

Las grúas

Grandes bloques
de ladrillos
las grúas
alzan, alzan.
Por encima de
los techos
los levantan
y levantan.

Cuando bajan
muchos tubos,
estos giran,
giran, giran.
Todo
el día
trabajan
y trabajan.

Los transportadores

Los transportadores cargan, cargan, cargan.

Sus rampas suben y bajan,

y nuevos carros cargan.

—¡Ya nos vamos! ¡Rrrum! —chillan y arrancan.

Todo el día trabajan y trabajan.

Los camiones de volteo

Los camiones de volteo descargan y descargan.
Llevan cargas muy pesadas
y las vuelcan, vuelcan, vuelcan.

¡ZAS!

Caen las rocas, y ruedan y resbalan.
Todo el día trabajan y trabajan.

Los helicópteros de rescate

Los helicópteros de rescate zumban, zumban, zumban.
Se mantienen en el aire y sus paletas giran, giran.
Luego bajan sogas a la gente que rescatan.
Todo el día trabajan y trabajan.

Las apisonadoras

Las apisonadoras ruedan, ruedan, ruedan.
El asfalto pegajoso aplastan y aplanan.
Sobre nuevas carreteras ruedan, ruedan, ruedan.
Todo el día trabajan y trabajan.

Los buldóceres

Todos los buldóceres empujan y empujan.
Los baches y el terreno nivelan y allanan.

Sus fuertes esteras agarran y agarran.
Todo el día trabajan y trabajan.

Los camiones

Por largas distancias los camiones viajan, viajan.
Unos largos, otros altos, pero muchas cosas cargan.
Sus bocinas suenan: "¡Bip!" Y sus ruedas giran, giran.
Todo el día trabajan y trabajan.

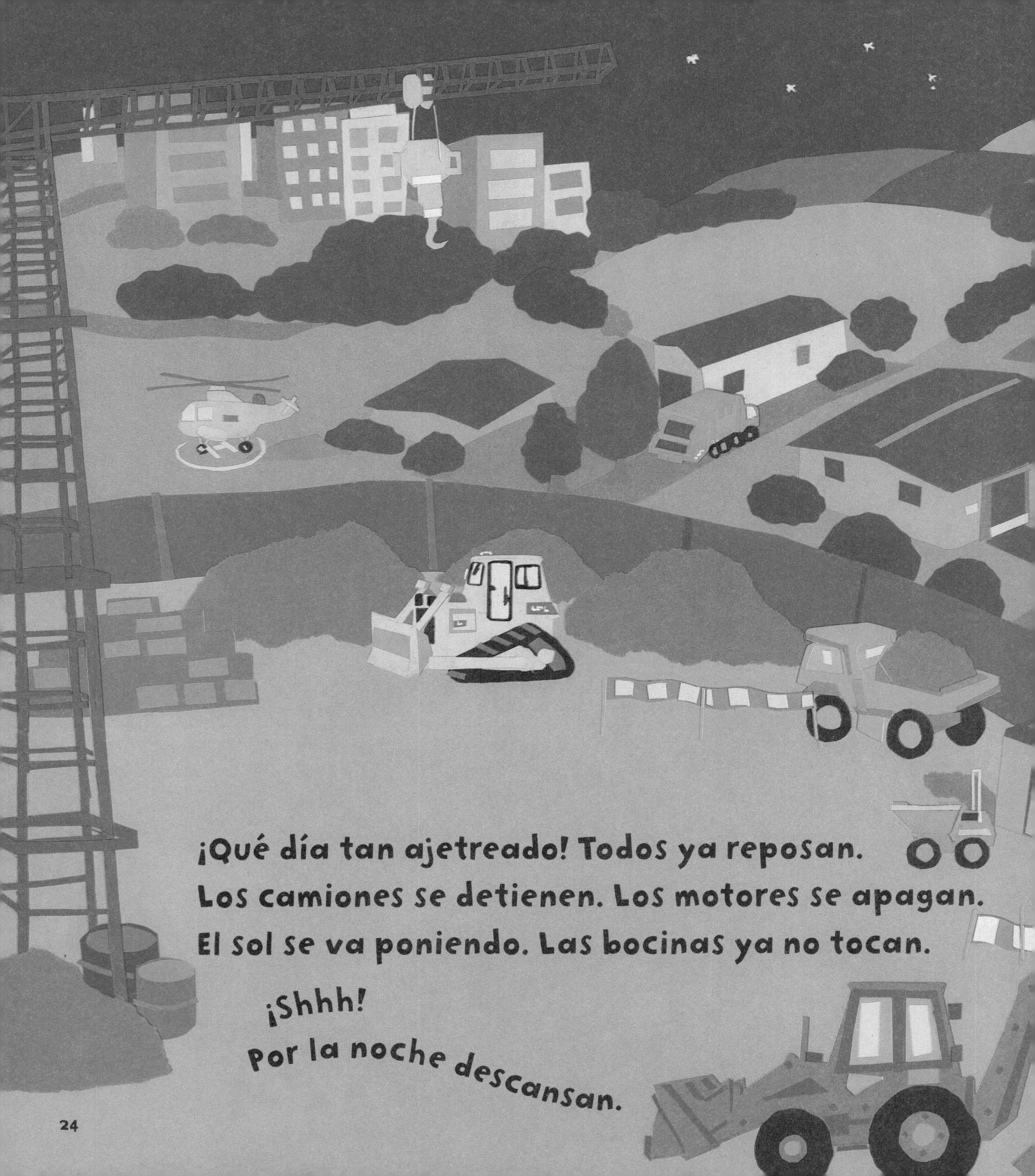

¡Qué día tan ajetreado! Todos ya reposan.
Los camiones se detienen. Los motores se apagan.
El sol se va poniendo. Las bocinas ya no tocan.

¡Shhh!
Por la noche descansan.